D1162950

Mariana Llanos
Illustrated by Uldarico Sarmiento

KUTU

Inkaq huch'uy ñustan
The tiny Inca princess
La ñusta diminuta

INKAQ HUCH'UY ÑUSTAN
THE TINY INCA PRINCESS
LA ÑUSTA DIMINUTA

Hardback Edition
ISBN: 978-0-9986161-3-1
Library of Congress Control Number: 2018953618

Published by Purple Corn Press
Oklahoma City, Oklahoma, United States of America

Author: Mariana Llanos
Illustrations: Uldarico Sarmiento
Editing in English: Savannah Thorne
Editing in Spanish: Ligia López de Castilla
Quechua Translation: Jesús Manya Salas (Quechua Qosqo)

www.marianallanos.com www.purplecornpress.com

For my dad, Alberto Llanos, and his inspiring love for our Perú.
Para mi papá, Alberto Llanos, y su inspirador amor hacia nuestro Perú.
Alberto Llanos taytaypaq, Perú llantaschispaq sumaq yuyaychayninta.

M.L

For my mom and Aldo, for encouraging me to follow this crazy career that's the arts.
Para mi mamá y Aldo, por apoyarme en esta loca carrera que es el arte.
Mamitaypaq, Aldopaq, llank'aypi q'emiyninwan puriskayta.

U.S

IN THE TIME OF THE INCAS lived a princess or ñusta the size of a cob of maize. Her name was Kutu, short for Ch'illik'utu which means cricket in the Quechua language. No one knew why Kutu was so tiny. Her father, the Hatun Inca, wouldn't let her out of the palace. He thought she'd be easy prey for a hungry condor. Her mother, the Qoya, almost stepped on her several times. She decided Kutu should be carried in a bag. "I wish I wasn't so small, *manan munaymanchu uchuychalla kayta,*" Kutu complained from dawn to dusk. But no one seemed to care.

EN TIEMPOS DE LOS INCAS existía una ñusta o princesa del tamaño de una mazorca de maíz. Se llamaba Kutu,diminutivo de Ch'illik'utu, que significa grillo en el idioma quechua. Nadie sabía cómo era posible que fuera tan, pero tan pequeña. Su padre, el Hatun Inca, no la dejaba salir del palacio porque pensaba que una princesa tan diminuta sería presa fácil de un cóndor hambriento. Su madre, la Qoya, quien estuvo a punto de pisarla en varias ocasiones, decidió que Kutu debía ser cargada en un bolso real.

Y así fue.

—Desearía no ser tan pequeña, *manan munaymanchu uchuychalla kayta*— se quejaba Kutu al amanecer y al anochecer. Pero a nadie parecía importarle.

One day, Kutu's father summoned his royal council and family to his palace. He said, "Not a drop of rain has fallen for months, *askha killañan mana sutumunchu parapas* . This drought is devastating our city. Our animals and plants are thirsty and weak, and soon we'll be too...We need help."

The royal council gasped.

"Our gods are the only ones who can help," he continued. "We shall gift them with our best offerings and hope they hear our plea."

"Why don't we find them and ask them to give us back our water?" asked Kutu from her bag. But no one seemed to hear.

Un día, el padre de Kutu convocó a su consejo real y les habló:

—Hace mucho tiempo que no llueve, *askha killañan mana sutumunchu parapas.* Esta terrible sequía está devastando nuestra ciudad. Nuestros animales y plantas están débiles, y pronto lo estaremos nosotros... Debemos buscar ayuda.

El consejo real soltó un gritillo ahogado.

—Los dioses son nuestra esperanza—continuó el Inca—. Presentaremos nuestras mejores ofrendas y esperaremos a que respondan nuestra petición. Es lo único que nos queda.

—¿Y por qué no los buscamos y les pedimos que nos devuelvan el agua? —preguntó Kutu desde su bolso, pero nadie pareció escuchar su vocecilla.

"Kutu!" the Inca said, making everyone flinch. "You'll be out of your bag. Maybe you can find us something small on the ground."

Kutu's heart jumped out in surprise! ¡*K'utuqpa sonqonpas p'itariranmi kusikuymanta!*

She beamed as she nodded. "I'll find something special, father. You'll see!"

But no one heard what she said because they were already busy at work. Kutu climbed out of her bag and ran to keep up with the other women.

But—

—¡Kutu!— exclamó el Inca de pronto, sorprendiendo a los reunidos—. Saldrás de tu bolso. Quizá nos encuentres en el suelo algo pequeño para ofrendar.

¡El corazón de Kutu se alegró! *¡K'utuqpa sonqonpas p'itariranmi kusikuymanta!*

—¡Claro que sí! Encontraré algo especial, padre. ¡Ya lo verás!

Nadie la oyó porque todos ya buscaban afanosamente sus ofrendas. Kutu corrió para alcanzar al resto de las mujeres,

pero...

"Don't touch the looms!" cried Kutu's sisters at once.
"But I want to create a beautiful design for Mother Earth," she explained.
"You're too small. You'll get tangled in the yarn," said big sister Haylli.
"Just let us do the work, sweet little sister. *Misk'i Ch'illik'utu tiyakullay, noqallayku llank'asaqku.*"
Kutu walked away, determined to find a way to help.
"Don't touch the fire!" yelled the cooks when Kutu reached for the steaming clay pots.
"I want to help make *chicha*," Kutu explained.
"You're too little. You'll burn yourself with the hot liquid."
"Just let us do the work, little bean," Mother Qoya said with a sweet voice.
"I don't want you to get hurt. *Manan munanichu k'irikunaykita.*"

—¡No toques los telares! —gritaron las hermanas en coro.
—Pero quiero crear un manto majestuoso para los dioses —explicó Kutu.
—Eres muy pequeña, te enredarás con la lana —dijo Haylli, su hermana mayor—. Solo siéntate, dulce grillito, nosotras haremos el trabajo. *Misk'i ch'illik'utu tiyakullay, noqallayku llank'asaqku.*
Kutu zapateó y se alejó enfadada.
—¡No toques el fuego! —gritaron los cocineros cuando Kutu se acercó a las ollas de barro.
—Quiero ayudar a preparar la chicha —explicó Kutu.
—Eres demasiado pequeña, te quemarás con el agua caliente.
—Mejor siéntate y déjanos trabajar, mi grillito —dijo mamá Qoya con su dulce voz—. No quiero que te pase nada. *Manan munanichu k'irikunaykita.*

"Don't touch that corn! *¡Ama sarata hap'iychu,"* yelled the priest at the temple.
"But I want to bring an offering, too," explained Kutu.
"You're too tiny! The bowl is big and you'll spill it."
"But..." she cried.
"Just sit down, my little cricket. Let the priests do their job," said Kutu's father.
Kutu stomped as she left the temple.
"Why was I let out if no one lets me help?" cried Kutu, kicking the dirt.
She looked at her tiny hands and feet, frowning with disappointment.
"I wish I was bigger, and stronger, and better! *Imaytacha munayman hatunqaray, kallpa sapa, allin kayta...*"
She looked back at the palace where people ran, made, and searched.
She had an idea.

—¡No toques ese maíz! *¡Ama sarata hap'iychu!* —gritó el sacerdote en el templo.
—Pero quiero cargar ofrendas...
—No hay forma de que cargues un recipiente tan grande. ¡Lo derramarás!
—Pero...
—Mejor siéntate y deja al sacerdote trabajar —intervino el padre de Kutu.
Kutu salió del templo dando pisotones.
—¿Para qué salí del bolso si nadie me deja ayudar? —se quejó amargamente.
Luego observó sus manos y sus pies diminutos, y suspiró decepcionada.
—Cómo quisiera ser más grande, más fuerte y mejor... *Ilmaytacha munayman hatunqaray, kallpa sapa, allin kayta...*
Luego miró el palacio donde la gente corría, hacía y buscaba afanosamente.
Enseguida tuvo una idea.

“I’ll bet I can do it. I’m going to find the gods and ask them to bring our water back.”

No one noticed when she tiptoed and scurried away through a crack in the stone wall.

She ran through the pampas, around the city. With every step she took, the world around her seemed bigger and farther away. T*eqse muyupas qhawakuq hatunkaray, karu karumanta rikuspa.*

—¡Apuesto a que puedo parar esta sequía! Encontraré a los dioses y les pediré que nos devuelvan el agua.

Nadie se dio cuenta cuando Kutu salió de puntitas y escurrió su cuerpecito por una abertura en la pared de piedra.

Atravesó corriendo la pampa que rodeaba la ciudad. Con cada paso que daba, el mundo se veía más grande y más lejano. *Teqse muyupas qhawakuq hatunkaray, karu karumanta rikuspa.*

After walking for hours, she found Apu, the spirit of the mountains, and from the yellow hillside, she yelled, "*Oh, Apu, I beg for help! ¡Hatun Apu, yanapayniykitan hamuni mañakuq!* We've lost our water, our city is drying like a withering flower, our animals are licking at empty ditches,and our creeks are carrying nothing but dead leaves and dust. You are powerful, help us get our water back. *¡Hatun Apu qanki...yanapawayku!*"

The enormous spirit opened his eyes and wailed.
"How could I help? Don't you see my plants are dry and my soil is cracked? As much as I've tried I can't make any water..."

Luego de caminar por horas, encontró a Apu, el dios de las montañas, y desde la ladera amarilla le gritó:
—Oh Apu, vengo a suplicar tu ayuda. *Hatun Apu, yanapayniykitan hamuni mañakuq*. Hemos perdido el agua, nuestra ciudad padece como una flor marchita, los animales lamen cauces secos y nuestros canales solo cargan hojas crujientes y polvo. Tú eres poderoso... ¡Ayúdanos! *Hatun Apun qanki... ¡yanapawayku!*
El majestuoso espíritu abrió los ojos y rugió un lamento:
—Pero... ¿cómo puedo ayudar? ¿No ves que mis plantas están secas y mi tierra rajada? Por mucho que intente no puedo hacer agua...

Apu shut his eyes and huffed as steam poured out of his ears. His face turned purple, and then he let out a blast of breath that made Kutu sway like a dandelion. "See? Useless! *¡Imatapas!*"

"I'll have to find someone else to help..." said Kutu straightening her hat.

"My sister!" exclaimed Apu. "You'll see her in the night sky from one of my tallest peaks. She might have a way to help you. But you'd better hurry... I feel the earth drying and shriveling..." rumbled the giant spirit.

Kutu dashed down toward the valley. A lone condor flew by, but Kutu quickly covered herself with a dry branch.

La montaña cerró los ojos e hizo fuerza como si fuese a botar humo por las orejas. Se volvió morada de tanto contener el aire en sus mejillas. Luego soltó la respiración con un soplido tan fuerte que movió a Kutu de lado a lado como una florecilla.

— ¿Ves? ¡Nada! *¡Imatapas!*

—Entonces alguien más tendrá que ayudar —resolvió Kutu, arreglándose el sombrero.

—¡Mi hermana! —exclamó Apu—. La verás en el cielo nocturno desde uno de mis picos más altos. Pero apúrate... siento la tierra secarse, marchitarse mientras hablamos... —dijo el espíritu con un chillido triste.

Kutu partió rápidamente hacia el valle. Un cóndor solitario voló en círculos, pero Kutu se protegió cubriéndose con una rama.

Soon it was night and the animals started singing their songs. Kutu had never been away from home, but she gathered all her courage and climbed the tallest mountain. She saw Mama Killa shining in the sky, wrapped in a glistening blanket of fireflies.

"Look here!" exclaimed the moon when she saw the tiny *ñusta* waiving from the top of a boulder. "What is a miniscule girl doing out here so late? *¿Imatan ruwasan kay pampakunapi, huch'uy warmi wawari?*

"Oh Mama Killa, I came this far to beg for help. We've lost our water, our city is drying like a withering flower, *ch'aki wayta hinan llaqtapas nakarisan*, our animals are licking at empty ditches, our creeks are carrying nothing but dead leaves and dust. You're powerful. Help us get our water back!"

Pronto llegó la noche y los animales cantaron sus canciones. Kutu nunca había estado lejos de casa, pero se llenó de coraje y trepó la montaña más alta. Desde ahí pudo ver a Mama Killa resplandeciendo en el cielo, envuelta en un hermoso manto tejido de luciérnagas.

—Pero, ¿qué tenemos aquí? —dijo la luna al ver a la ñusta haciendo señas desde una roca. —¿Qué hace una niña tan pequeña por estos lares? *¿Imatan ruwasan kay pampakunapi, huch'uy warmi wawari?*

—Oh, Mama Killa, he venido de tan lejos a suplicar tu ayuda. Hemos perdido el agua, nuestra ciudad padece como una flor marchita *ch'aki wayta hinan llaqtapas ñakarisan*, los animales lamen cauces secos, nuestros canales solo cargan hojas crujientes y polvo. Tú eres poderosa, ¡ayúdanos!

The pale moon stared at Kutu, and then let out a voice that sounded like song.
“I can surely summon the ocean tides. But I cannot bring its water all the way up to Cusco...”
“But someone must help!”
“*Huch’uy ñusta,* tiny princess, go find my brother, the sun, as he rises. But do it quickly for I see the crops dissolving in ashes...”
Kutu dragged her tired feet down the mountain. She knew Inti, the sun, would come up from the east in the morning. She looked around and realized she didn’t know where she was. Had she come from the north or south? In the vast pasture everything looked alike.

I’m sure no one has noticed that I’m gone, she thought as her eyes closed.

La pálida luna observó a la niña y luego habló con una voz que parecía melodía:
—Ten por seguro que puedo elevar las aguas del mar, pero no las puedo traer hasta las alturas de Cusco. Me temo que es imposible...
—¡Pero alguien tiene que ayudarnos!
—*Huch'uy ñusta*, pequeña princesa, busca a mi hermano en el firmamento de la mañana. Él es el único que te puede ayudar, pero apúrate, pues veo a los cultivos disolverse como cenizas...
Kutu arrastró sus pies cansados montaña abajo. Ella sabía que el dios Sol, Inti, se elevaría en la mañana por el oriente. Miró a su alrededor y se dio cuenta de que no sabía dónde se encontraba. ¿Es que ella había venido del norte o del sur? En la vasta pradera todo parecía igual.

Seguro que nadie se ha dado cuenta de que no estoy en casa, pensó mientras cerraba los ojos.

A swift breeze awoke Inti, the most powerful of the Incan gods. He rose on the firmament, warming the tiny princess who slept on a pile of leaves.

"Why! Is that a young princess lying in the hard, dry soil?"

"Oh mighty Inti," Kutu said jumping to her feet. "I came this far to ask for help. We've lost our water, Cusco is drying like a withering flower, our animals are licking at empty ditches, and our creeks are carrying nothing but dead leaves and dust. *Uywakunapas ch'aki mayullatan llaqwanku, yarqakunapas allpaska raphillatan q'epinku.* You are powerful. Help us get our water back! *Hatun Inti qanki... ¡yanapawayku!*"

"How do you think I could help? All I do is scorch the earth with my fiery arms. I've tried wringing the clouds as tightly as a mighty god like me can do. Nothing; not a single drop of water, for the clouds are empty and very much waterless."

Una ligera brisa despertó a Inti, el más poderoso de todos los dioses incas. Se elevó en el firmamento, calentando con sus rayos a la pequeña ñusta quien dormía sobre una cama de hojas.

—¡Cómo! ¿Qué hace una joven princesa acostada en este suelo duro?

—Oh poderoso Inti —dijo Kutu levantándose de un salto—. Vengo de Cusco a suplicar tu ayuda. Hemos perdido el agua, nuestro pueblo padece como una flor marchita, los animales lamen cauces secos y nuestros canales solo cargan hojas crujientes y polvo. *Uywakunapas ch'aki mayullatan llaqwanku, yarqakunapas allpaska raphillatan q'epinku.* Eres mi última esperanza, ¡ayúdanos! Hatun Inti qanki... ¡yanapawayku!

—Pero, pero... ¿cómo crees que puedo ayudar? Todo lo que hago es achicharrar la tierra con mis brazos de fuego. He tratado de exprimir las nubes... pero nada, ni una gota de agua cae de esas nubes secas y vacías.

"What are we to do then? *¿Imatataq ruwasunchisri?* " cried Kutu.
"Your only hope is that the legend is true."
Kutu squinted. "What legend?"
"Said an old oracle that a tiny ñusta, the size of a cob of maize, will bring sweet water to flow on the face of the earth, only after... wait... I can't remember if she was bringing water, or hot lava—"
The bright Inti frowned. "You should go back home. There's nothing else to do. *Manan ima ruwaypas kanñachu.*"
"But—"
"That's my final word!" bellowed the immense god floating in the sky.
"How am I supposed to go back home if I don't know where I am?"
Tears clouded her eyes. Wild dogs wailed in the distance. Kutu bit her fingernails and covered herself with a branch.
"I'm not giving up. I'm not! I'll find a way to bring our water back," she decided.

—Entonces, ¿qué vamos a hacer? *¿Imatataq ruwasunchisri?* —se lamentó Kutu.
—Tu única esperanza es que la leyenda sea verdad...
Kutu frunció las cejas. —¿Qué leyenda?
—Dijo un oráculo que una ñusta diminuta, del tamaño de una mazorca de maíz, hará retornar el agua dulce a la tierra luego de que... un momento —. El brillante Inti se rascó la cabeza con uno de sus rayos.
—¿Era una ñusta? ¿O un maíz con forma de princesa? Tampoco recuerdo si traía agua dulce o lava hirviendo.... Bueno, no importa. Debes regresar a casa. No hay nada más que hacer. *Manan ima ruwaypas kanñachu.*
—Pero...
—¡Es mi palabra final! —anunció el astro con voz potente, al tiempo que flotaba cielo arriba.
—Pero cómo voy a ir a casa si no sé dónde estoy —dijo Kutu mientras los ojos se le nublaban de lágrimas.
A la distancia aullaron unos perros salvajes y Kutu se cubrió con una rama.
—No me rindo, no. Debo encontrar la forma de traer el agua a casa.

Then, a silvery light twinkled in the distance, slithering across the earth like a humongous snake. Kutu took a deep breath and marched toward it. Soon, the soil beneath her sandals felt soft. She touched the ground. It was damp. When she looked up, the roaring, shimmering mass was still sliding in her direction... and it was growing!

"Water! *¡Yaku!*" Kutu yelled, clutching her hiding branch. She couldn't see anything. She struggled to keep her head out of the water as she drifted away in the wild current.

De pronto, una luz resplandeció a la distancia, deslizándose en la tierra como una serpiente gigante. Kutu respiró y marchó hacia la luz serpenteante. Pronto, el suelo bajo sus sandalias se sintió suave. Lo tocó con la punta de los dedos: se hundía de lo húmedo que estaba. Cuando Kutu se incorporó, la masa rugiente seguía avanzando en dirección a ella...¡y se hacía cada vez más grande!

—¡Agua! *¡Yaku!*—gritó Kutu, agarrándose como pudo de la rama que usaba para esconderse.
Por un momento, todo se puso negro. Luchaba por mantener la cabeza fuera del agua mientras la corriente la arrastraba.

"Swim! Don't surrender!" she heard a voice say. "The water will bring you home."
When she looked up she saw Inti pointing his rays at her. Kutu wanted nothing more than to go home so she kicked her legs as hard as she could and used her arms as paddles.

Suddenly, the raging waters calmed and Kutu was able to swim. The river turned into a small channel. Around it, there were houses made out of stone and adobe, and green pastures where llamas ate grass. Kutu splashed to the shore and sprung to her feet. The smell of fresh molle tree felt so familiar...

—¡Nada! ¡No te rindas! —escuchó que decía una voz—. El agua te llevará a casa.

Cuando Kutu miró hacia el cielo, vio a Inti apuntándole con sus rayos. Kutu solo pensaba en llegar a casa, así que pataleó lo más fuerte que pudo y usó sus brazos como remos.

De repente, las aguas se calmaron. Ahora el río se había convertido en un canal donde Kutu flotaba con tranquilidad. A su alrededor se levantaban casas de piedra y adobe, y pasto verde donde paseaban las llamas.

Kutu chapoteó hasta la orilla donde se incorporó de un salto. El olor a molle se le hacía tan familiar...

Kutu was home!

“But, how—?”

¡Kutu estaba en casa!

In front of Kutu, her mother and sisters sat on their knees still and quiet as rocks. Tears gushed from their closed eyes and dripped down onto the earth. From there, a trickle traveled slowly until it grew bigger and bigger... and formed a river.
"Mother? Sisters? You cried a river! *¡Huk mayutan waqankichis!*" yelled Kutu.
Her mother opened her eyes. "Ch'illik'utu?"
Kutu ran to hug her mother, just as her sisters opened their eyes and celebrated with tears of happiness.

Frente a Kutu estaban su madre y sus hermanas arrodilladas, inmóviles como rocas. De sus ojos cerrados brotaban lágrimas que viajaban por sus mejillas y caían sobre la tierra. De ahí se juntaban en un hilo de agua que se desplazaba lentamente hasta formar un río.
—¿Madre? ¿Hermanas? ¡Lloraron un río! *¡Huk mayutan waqankichis!*— dijo Kutu.
La madre de Kutu abrió los ojos: —¿Ch'illik'utu?
Kutu corrió a abrazar a su madre mientras sus hermanas abrían los ojos y celebraban con lágrimas de alegría.

Kutu's father came running too, and both Hatun Inca and Qoya held their tiny princess close to their hearts.

"We thought we had lost you," the Inca cried.

"I'm sorry I left. I just wanted to bring our water back," Kutu said with a flush on her cheeks.

El padre de Kutu corrió también, y ambos, *Hatun Inka* y *Qoya* abrazaron a su pequeña ñusta muy cerca del corazón.

—Pensamos que te habíamos perdido —dijo el Inca.

—Lamento haberme ido sin avisar. Yo solo quería traer nuestra agua —dijo Kutu con las mejillas sonrojadas.

“You did it, tiny ñusta,” the voice of Inti rumbled from the sky. “You dared to go where no one else did. I’ll reward you by turning those bitter tears into fresh, clean water that’ll never dry.”

Saying this, Inti hid behind a grey cloud and tickled it until it poured rain on the earth.

“Kutu, you brought our water back! You are a mighty tiny princess! *¡K’utucha! ¡ruwarkankin! ¡Huch’uy ñusta qhapaqmi kanki!*” said a chorus of joyful voices.

From that day on, the city of Cusco drank from the waters of their new river. The pastures grew green and the animals grew strong. Never again was there a chore too big for Kutu. She no longer wished to be bigger, and stronger, and better, for she knew she already was.

La fuerte voz de Inti retumbó desde el cielo:
—Fuiste a donde nadie se atrevió, pequeña ñusta, determinada a conseguir tu objetivo. Por eso te recompensaré convirtiendo estas lágrimas amargas en agua fresca que nunca se secará.
Y así, Inti desapareció detrás de unas nubes grises y las cosquilleó hasta hacerlas llover.
—¡Kutu! ¡Lo hiciste! ¡Eres una pequeña princesa poderosa! *¡K'utucha! ¡Ruwarkankin! ¡Huch'uy ñusta qhapaqmi kanki!* —clamó un coro de alegres voces.
Desde ese día, la ciudad del Cusco bebió las aguas dulces del río. Los pastos se volvieron verdes y los animales más fuertes. Nunca más hubo algo en lo que Kutu no pudiera ayudar, y nunca más se quejó ella de ser tan pequeña. Kutu ya no deseaba ser más grande, ni más fuerte ni mejor, porque sabía que ya lo era.

CUSCO

THE CITY OF CUSCO was the capital of the Inca Empire, known as the Tahuantinsuyo. It expanded from Colombia all the way to Argentina, encompassing Ecuador, Peru, Bolivia and part of Chile. Although we call it "The Inca Empire", we know that the Inca was the one main ruler or king. The rest of people called themselves Quechuas or Runas. Even though Kutu is a fictional character, and this story doesn't recreate a legend,the mythology characters used in the story do represent actual Quechua divinities.

The Apus were the sacred spirits of the mountains who watched over the people in their territory. In return, people gave them offerings, like chicha, coca leaves, and food.

Mama Killa was the wife and sister of Inti, and mother of the first Inca, Manco Capac. She was the protector of women and had an important role in the Inca calendar. According to their religious beliefs, Mama Killa cried tears of silver, and on lunar eclipses she was being attacked by a wild animal, possibly a serpent or puma.

Inti was the sun, the son of Viracocha, creator of the universe, and Mama Cocha, goddess of the ocean. He was also the god of agriculture, and through his son, the first Inca Manco Capac, he taught the Quechuas the art of civilization.

The Inti Raymi, Festival of the Sun, was celebrated every year during winter solstice. When the Spaniards invaded the Inca Empire and introduced their Christian faith, Inti Raymi was forbidden, but locals celebrated in secret for years. The public celebrations began again in 1944.

Nowadays during the Inti Raymi, the roles of Inca, Coya, and sacrificial priests are portrayed by actors. This famous celebration, attended by hundreds of tourists from around the world, is an important way for Peruvians to pay homage to their culture's past.

QOSQO

La ciudad del Cusco fue la capital del Imperio Inca, conocido como el Tahuantinsuyo. Se expandió desde Colombia hasta Argentina, abarcando Ecuador, Perú, Bolivia y parte de Chile. Aunque lo llamamos "el Imperio Inca", sabemos que el Inca era el único gobernante o rey principal. El resto de la gente se llamaba quechuas o runas. Aunque Kutu es un personaje ficticio, y este cuento no recrea una leyenda, los personajes de la mitología utilizados en la historia representan las divinidades reales de los quechua.

Los Apus eran los espíritus sagrados de las montañas que protegían a la gente de su territorio. A cambio, la gente les daba ofrendas, como chicha, hojas de coca y comida.

Mama Killa era la esposa y hermana de Inti, madre del primer Inca, Manco Cápac. Era la protectora de las mujeres y tenía un papel importante en el calendario inca. De acuerdo a sus creencias, la diosa Luna lloraba lágrimas de plata, y en los eclipses lunares era atacada por un animal salvaje, posiblemente una serpiente o un puma.

Inti era el sol, el hijo de Viracocha, creador del universo, y Mama Cocha, diosa del océano. Él era también el Dios de la agricultura, y a través de su hijo, el primer Inca Manco Cápac, les enseñó a los quechuas el arte de la civilización. El Inti Raymi, Festival del sol, se celebraba cada año durante el solsticio de invierno. Cuando los españoles invadieron el Imperio Inca e introdujeron su fe cristiana, prohibieron las festividades como el Inti Raymi, pero los lugareños lo celebraron en secreto por años. Las celebraciones públicas comenzaron otra vez en 1944. Hoy en día, durante el Inti Raymi, los roles de Inca, Coya y sacerdotes son representados por actores. Esta famosa celebración, atendida por cientos de turistas cada año, es para los peruanos una manera importante de rendirle homenaje a su cultura y pasado.

Mariana Llanos

Mariana Llanos has published over nine books for children. She was born in Lima, Peru and currently resides in Oklahoma, U.S.A. She has visited Cusco three times: the first one when she was 11 years old,the second one during her senior year in highschool, and the third one just recently, with her children and her mom. For her, Cusco is a fascinating city where you breathe history, magic and adventure.

Uldarico Sarmiento

Uldarico Sarmiento is a Peruvian-born scenic designer, college professor, and artist. This is his first time illustrating a book for children. He lives in Oklahoma. Uldarico has visited Cusco twice. The first time with his parents when he was 10 years old, and the second time in a family reunion trip in 2013. For Uldarico, Cusco is a place he can go back to over and over again, and always be amazed.

Other Award Winning Books By Mariana Llanos

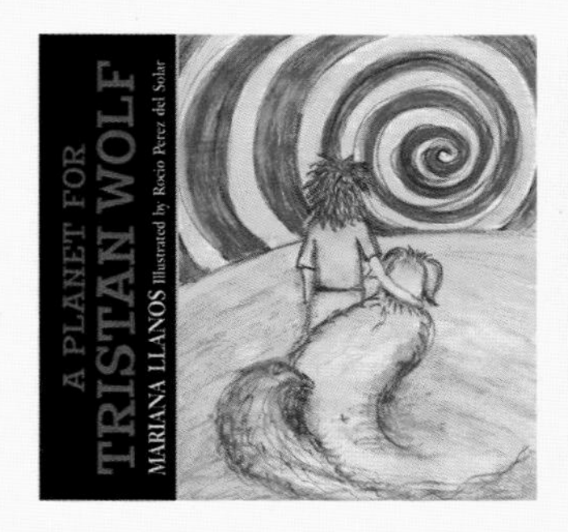

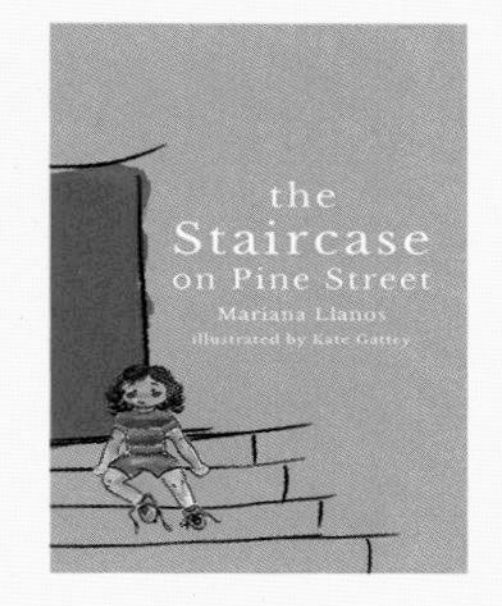

www.amazon.com
www.marianallanos.com

Don't forget to leave a review on Amazon!